Le plein
avec des cocktails maison
d'énergie

Cent pour cent plaisir

Gardez la forme, devenez plus actif et soyez mieux dans votre peau grâce aux cocktails énergétiques confectionnés par vos soins avec les ingrédients de votre choix : jus de fruits, produits laitiers frais et infusions parfumées.

Vous profiterez de tout l'arôme des fruits en choisissant les «pur jus» : ne vous contentez pas des jus dilués vendus sous le nom de «nectars», ou «boissons aux fruits» ou encore «jus à base de concentrés». Il est donc bien de regarder les étiquettes. La mention «100 % pur jus» devrait toujours y figurer, vous pourrez éventuellement les diluer vous-même par la suite. Les jus pressés directement sont également purs et ont un gros avantage : ils ne se composent pas de jus concentrés, pasteurisés, qui ont perdu beaucoup de leurs substances toniques et aromatiques.

Plus d'eau que de jus

Qui dit nectar pense nature et pureté. Pourtant, souvent constitué de 50% d'eau, celui-ci contient deux fois moins de substances toniques que le pur jus. Quant aux «jus à base de fruits», leur teneur en fruits n'est que de 3% (jus à base de citron) à 30% (jus à base de pomme). Le goût du fruit est remplacé par une adjonction importante de sucre. Le désaltérant, sucré et sans goût ni grande valeur pour la santé, contient ainsi plus de calories que le pur jus.

Jus, boisson et moût

Parmi les préparations aux légumes, on distingue les jus et les boissons. Le jus de légumes contient toujours 100% de jus, sans adjonction d'eau. Les boissons, elles, se composent toujours de 60% d'eau (75% pour la rhubarbe). Certains légumes peuvent subir une fermentation lactique, au cours de laquelle les bactéries lactiques transforment le sucre en acide lactique. Ce dernier peut alors combattre les bactéries et fortifier les défenses de l'organisme. Le moût renferme obligatoirement 100% de fruits dont le jus a fermenté. Il produit donc de l'alcool mais, en petite quantité, inoffensive pour une personne en bonne santé; des études récentes ont même démontré son effet bénéfique sur le cœur et la circulation sanguine.

Les jus du commerce

Lorsque votre magasin d'alimentation en vend, vous devriez toujours acheter des purs jus. Certains cependant, comme les jus d'ananas, de poire, d'abricot ou de cerise n'y sont généralement disponibles que sous forme de «nectar». Vous pouvez néanmoins faire de bonnes trouvailles dans les magasins bien achalandés en produits biologiques, diététiques ou spécialisés dans les boissons. Vous y trouverez des purs jus de fraises, d'abricot, de framboises, de cerises, de baies de sureau etc. Cependant, vous y chercherez en vain le pur jus de certains fruits comme la banane, qu'on trouve uniquement sous forme de nectar. Ce n'est pas une raison pour délaisser ce fruit exotique, dont le jus contient simplement moins d'eau, tout comme celui du kiwi ou de la papaye. Pourquoi alors ne pas en extraire vous-même le jus? Quant aux purs jus de la plupart des légumes, ils sont quasi introuvables.

Presser ou écraser

Les fruits et les légumes crus contiennent plus de substances toniques que leurs jus; en effet, les jus vendus dans le commerce sont souvent pasteurisés pour mieux se conserver. Il est donc préférable presser soi-même oranges et pamplemousses frais, bourrés de vitamines, à l'aide d'un presse agrumes. Vous pouvez aussi passer fruits rouges, bananes, kiwis, mangues et melons avec un simple Blender, en ajoutant, éventuellement, un peu d'eau. Il suffit ensuite de les filtrer dans une passoire ou d'y adjoindre un autre jus et vous aurez alors toutes les substances toniques solubles dans votre verre. Enfin, si vous deveniez un inconditionnel des jus de fruits, pensez à acquérir une centrifugeuse qui extraira des jus frais de fruits ou de légumes en quelques secondes. Vous trouverez dans ce livre des recettes simples pour lesquelles un Blender est suffisant.

Substances
pour un esprit sain dans un corps sain
actives naturelles

Les jus de fruits renforcent les défenses immunitaires

Les jus fortifient l'organisme grâce à la vitamine C au bêta-carotène et qu'ils renferment. Ces deux substances arrêtent les radicaux libres qui agressent les cellules et proviennent des polluants, des UV et du stress. Les caroténoïdes et les flavonoïdes, deux groupes importants de substances végétales actives, se retrouvent également dans les jus et combattent les méfaits des radicaux libres en empêchant les cellules attaquées de se transformer en cellules cancéreuses.

Quant aux boissons à base de babeurre, kéfir ou yaourt, elles renferment des bactéries lactiques favorisant la croissance de la flore intestinale. Ces produits fermentés protègent donc des infections, des douleurs intestinales et aident, vraisemblablement, à maintenir un faible taux de cholestérol.

Restez en mouvement

Beaucoup de sportifs amateurs ou occasionnels connaissent le douloureux problème de la crampe musculaire. Il s'agit d'un signal d'alarme des muscles qui, manquant de sels minéraux, ne peuvent plus fonctionner à pleine puissance. La plupart du temps, massages et chaleur suffisent à faire disparaître rapidement la douleur.

Cependant, lorsqu'on fait du sport, le corps ne cesse d'éliminer des sels minéraux par le biais de la transpiration. Il est donc important de compenser cette perte par un apport en magnésium et principalement en potassium . Le moyen le plus agréable d'y parvenir est certainement de déguster des cocktails de fruits et/ou de légumes frais pour sportifs. Grâce aux légumes, aux fruits et aux herbes qu'ils contiennent, ils regorgent de minéraux. Le corps retrouve les fluides perdus lorsque vous jouiez au tennis, au football, vous couriez, faisiez du vélo ou de l'exercice dans une salle de sport. Un pur jus, trop concentré, n'apporterait pas assez d'eau pour compenser la perte due à la transpiration.

Les sportifs doivent donc diluer les purs jus, si possible avec une eau minérale riche en magnésium.

Attention, une boisson énergétique pour sportifs ne doit pas contenir trop de protéines car, les amateurs couvrent leur besoins avec une alimentation normale.

Chassez le stress

Il existe deux types de stressés : ceux qui se jettent sur le chocolat ou les chips pour se réconforter de la pression et de l'agitation, et ceux qui oublient même de manger. Bien entendu, les deux situations nuisent à la santé. Chouchoutez plutôt vos nerfs avec des boissons substantielles comme les cocktails ou les milk-shakes. Si vous êtes très nerveux, la vitamine B_2, contenue dans les produits laitiers, ne vous trahira pas. Le babeurre, très riche en lécithine, favorise la concentration. Enfin, ceux qui désirent combattre le stress choisiront des glucides lents présents, par exemple, dans les bananes, ou des aliments riches en vitamine C comme l'argousier, le chou-rave ou le kiwi.

Une bonne digestion

Si votre estomac et/ou votre intestin fonctionnent mal, c'est qu'ils ont été négligés. Fort heureusement, telle boisson, par sa richesse en fibres, en acide lactique ou tout simplement grâce à son apport en liquide, suffira à venir à bout de ces petits bobos, sans toutefois éliminer leurs déclencheurs. Mais, mieux vaut renoncer aux cocktails glacés en cas de maux de ventre.

Eliminer

Plus les reins éliminent de liquide, plus les déchets du métabolisme, souvent appelés résidus, le sont aussi, ce qui soulage le cœur et favorise la circulation sanguine. Cette purification ne sera ni pénible, ni monotone : les boissons dépuratives contiennent des fruits ou des légumes riches en potassium, de l'eau en abondance et sont d'un goût agréable. Plus vous en boirez, mieux vous vous porterez.

Boissons
pour petits problèmes
bénéfiques

Qui n'a pas rêvé de supprimer facilement ses petits bobos? Avec la boisson adéquate, ce rêve pourra se réaliser! Le grand tableau ci-contre vous aidera à choisir les cocktails les mieux adaptés à votre situation. La plupart d'entre eux stimulent les défenses immunitaires ou les capacités intellectuelles. Certains contiennent beaucoup de sels minéraux et peu de sucre: ce seront les préférés des sportifs. Les boissons à base de yaourt ou de fibres aideront à résoudre les problèmes intestinaux. Enfin, ceux qui recherchent un effet «dépuratif», drainant devrait-on dire, opteront pour des jus riches en potassium ou un mélange infusion/jus de fruits. Le choix est vaste! N'hésitez pas à tester toutes les boissons: vous serez enthousiasmé.

Remarque: en cas de maladie, demandez conseil à un médecin. Les cocktails énergétiques ne remplacent pas les médicaments ou une visite chez votre praticien.

COCKTAILS DRAINANTS ET DÉPURATIFS

Bolée aux fruits rouges
Cocktail aux fraises
Cocktail exotique énergétique
Cocktail fantaisie fruitée
Cocktail Green Card
Cocktail petit-lait-pomme-abricot
Cocktail radis-chou-rave
Cocktail Scoubidou
Délice de légumes épicé
Flip mâche-babeurre
Lait melon-concombre
Milk-shake velouté au babeurre
Pink Kiwi Colada
Punch agrumes-camomille
Punch anti-grippe
Punch d'hiver
Punch exotique au fenouil
Punch tilleul-pomme
Régal de légumes à l'aneth

POUR LES ACTIFS ET LES SPORTIFS

Bolée aux fruits rouges
Cocktail Green Card
Cocktail radis-chou-rave
Flip mâche-babeurre
Glace mangue-yaourt au kéfir d'ananas
Lait melon-concombre
Pink Kiwi Colada
Punch d'argousier à la sauge
Régal de légumes à l'aneth

POUR LES STRESSÉS

Cocktail au kéfir rose

Cocktail aux fraises   41

Cocktail aux prunes et yaourt   45

Cocktail bananes-fruits rouges   40

Cocktail blanc-rouge-vert   17

Cocktail bonne humeur   25

Cocktail douceur blanche   12

Cocktail du noctambule   36

Cocktail écran total   28

Cocktail exotique énergétique   11

Cocktail Green Card   31

Cocktail petit-lait-pomme-abricot   37

Cocktail radis-chou-rave

Cure de vitalité aux fruits

Délice de légumes épicé

Drive-in cocktail   36

Flip mâche-babeurre

Highway to Holiday

Lait d'amande à l'ananas   48

Lait melon-concombre   49

Milk-shake babeurre-coco   44

Milk-shake babeurre-framboises   42

Milk-shake figues-banane   47

Milk-shake velouté au babeurre   41

Punch d'argousier à la sauge   57

Punch panthère rouge   12

POUR LE SYSTÈME IMMUNITAIRE

Brise printanière

Cocktail bonjour

Cocktail coco-Caraïbes

Cocktail douceur blanche

Cocktail énergétique au poivron rouge

Cocktail exotique énergétique

Cocktail du noctambule

Cocktail verger-heure bleue

Cooler mangue-fraise

Délice de légumes épicé

Drive-in cocktail

Pink Kiwi Colada

Punch anti-grippe

Punch agrumes-camomille

Punch d'argousier à la sauge

Punch d'hiver

Punch exotique au fenouil

Punch panthère rouge

Punch tilleul-pomme

Quick & Easy Drink

Régal de légumes à l'aneth

Rêve d'été

Shake de kiwi à la glace melon

Sweet Iron-Man   52

POUR L'ESTOMAC ET L'INTESTIN

Brise printanière

Cocktail au kéfir rose

Cocktail aux fraises

Cocktail aux prunes et yaourt

Cocktail fantaisie fruité

Cocktail petit-lait-pomme-abricot

Cocktail scoubidou

Cocktail verger - heure bleue

Cure de vitalité aux fruits

Délice de légumes épicé

Drive-in cocktail

Glace mangue-yaourt au kéfir d'ananas

Milk-shake figues-bananes

Milk-shake velouté au babeurre

Pousse-café au yaourt

Punch anti-grippe

Punch d'argousier à la sauge

Punch d'hiver

Punch tilleul-pomme

Shake de kiwi à la glace au melon

Sweet Iron-Man

La semaine
vitalité et bonne humeur
d'attaque

Les boissons « vitalité » !

La fatigue, le manque de concentration et la mauvaise humeur vous gâchent la vie ? Vous avez besoin d'une semaine d'attaque avec une foule de cocktails. Trois boissons énergétiques, vite pressées, ou mixées vous redonneront du tonus même en pleine période de stress. Trois mélanges dopants, simples et raffinés de lait, de jus de fruits et d'infusions vous stimuleront, vous éviteront le petit creux de 11 heures, la fatigue du printemps, la dépression automnale et les petits ennuis quotidiens.

Mangez léger et buvez

Les meilleures boissons sont malheureusement inutiles si vous vous nourrissez mal. Une alimentation trop grasse et protéinée nuit au corps, fait perdre de l'énergie et fournit bien trop de calories. Consommez moins de viande grasse et saucisses, davantage de poisson maigre et de fromage frais pauvre en graisse. Remplacez aussi le pain beurré par du pain nature ou tartiné de crème aigre. En général, certains aliments peuvent être consommés sans restriction dans la cadre d'une nourriture vitalité : fruits, légumes, pâtes, pommes de terre, riz et pain complet. Ils contiennent tous des protides en abondance qui apportent rapidement aux muscles et aux cellules grises le combustible indispensable à leur activité.

A chaque problème sa solution

Les boissons, riches en protides, s'adaptent aussi parfaitement à ce type de régime. La semaine d'attaque en prévoit trois réparties dans la journée, mais si, un jour, vous souhaitez en supprimer une ou, si vous n'avez ni le temps ni les ingrédients nécessaires, vous pouvez vous contenter de deux boissons. Préparez tout d'abord, une double portion que vous boirez en deux fois. En général, les recettes du matin (première proposition) et du soir (dernière proposition) prennent un peu plus de temps que celles du midi, où les ingrédients sont mixés rapidement. Enfin, pour les matins difficiles, le travail intellectuel, les enfants ou les noctambules, la liste vous indiquera les meilleures boissons à ajouter, sans effort, au programme de la semaine d'attaque.

PROGRAMME DE LA SEMAINE D'ATTAQUE

Lundi

* Cocktail douceur blanche ; Milk-shake velouté au babeurre ; Milk-shake babeurre-coco ; Punch exotique au fenouil

Mardi

* Cocktail bonjour ; Sweet Iron-Man ; Cocktail énergétique au poivron rouge

Mercredi

* Cocktail au kéfir rose ; Cocktail fantaisie fruité ; Punch agrumes-camomille

Jeudi

* Quick & Easy Drink ; Milk-shake velouté au babeurre ; Délice de légumes épicé

Vendredi

* Pink Kiwi Colada ; Drive-in cocktail ; Cocktail blanc-rouge-vert

Samedi

* Cocktail écran total ; Milk-shake figues-bananes ; Cocktail du noctambule

Dimanche

* Punch panthère rouge ; Cocktail fruits rouges ; Punch tilleul-pomme

Pour les matins difficiles

Drive-in cocktail ; Brise printanière ; Cocktail bonne humeur ; Cocktail bonjour ; Quick & Easy Drink ; Cure de vitalité aux fruits

Pour les noctambules infatigables

Cocktail banane-fruits rouges ; Régal de légumes à l'aneth ; Cocktail Green Card ; Cocktail du noctambule ; Délice de légumes épicé ; Cocktail énergétique au poivron rouge

Pour des enfants en forme

Cocktail exotique énergétique ; Cocktail aux fraises ; Cocktail bonne humeur ; Highway to Holiday ; Milk-shake babeurre-framboises ; Punch panthère rouge

Pour la concentration lors du travail intellectuel

Lait d'amande à l'ananas ; Milk-shake figues-banane ; Cocktail banane-fruits rouges ; Sweet Iron-Man ; Cocktail douceur blanche ; Punch d'hiver

Cocktail

avec huit

exotique

fruits frais

énergétique

Pour 2 grands verres : 2 oranges - 1 pamplemousse - 1 gousse de vanille - 1 petite papaye - 4 kiwis - eau minérale fraîche plate

Prélever dans la peau d'une orange deux fins rubans que l'on tourne en spirale. Presser alors oranges et pamplemousse et garder le jus. Ouvrir la gousse de vanille dans le sens de la longueur et la racler pour recueillir la poudre qu'elle contient. Peler, couper la papaye en deux et enlever les graines. Peler les kiwi et en garder deux grosses rondelles pour le décor. Disposer dans le Blender papaye, kiwis, le jus des agrumes et la poudre de vanille. Mixer en ajoutant un peu d'eau pour obtenir une boisson onctueuse, répartir dans les verres. Inciser ensuite les rondelles de kiwis afin de les faire tenir sur le rebord des verres, y disposer, en décor, les spirales d'orange et servir avec des chalumeaux.

Ustensiles : Blender, presse-citron, 2 chalumeaux

power

Cocktail
avec les minéraux naturels de la forme
douceur blanche

Pour 2 grands verres : 2 kiwis - 1 banane - 100 ml de babeurre (ou un yaourt) - 150 ml de jus de pomme - lait demi-écrémé - 1 c.c. de sucre vanillé - 2 c.c. de chocolat râpé

lait amande

Peler kiwis et banane, en prenant soin de garder quelques rondelles de chacun de ces fruits pour le décor. Disposer le reste dans le Blender avec babeurre ou yaourt, jus de pomme et sucre vanillé. Mixer en ajoutant un peu de lait bien froid de façon à obtenir une boisson onctueuse que l'on répartit dans les verres. Décorer avec les rondelles de kiwi et de banane, saupoudrer avec du chocolat râpé et servir.

Ustensile : Blender

power

Punch
mélange explosif papaye-gingembre-jus de carotte
panthère rouge

Pour 2 grands verres : ½ papaye - 100 ml de jus de poire - 100 ml de jus d'orange - 100 ml de jus de carotte - 1 c.c. de gingembre frais râpé

Peler la papaye, enlever les graines et garder deux minces quartiers pour la décoration. Couper le reste en petits morceaux et mixer dans le Blender avec les trois jus. Verser dans des verres. Inciser délicatement les quartiers de papaye afin de les ficher sur le rebord des verres. Servir avec des chalumeaux.

Ustensiles : Blender, 2 chalumeaux

power

Cocktail bonjour

substances vitales pour se réveiller

Faire légèrement dorer la poudre d'amandes dans une poêle antiadhésive et la tenir en réserve. Laver, sécher l'orange et, avec un couteau bien aiguisé, prélever sur l'écorce un fin ruban que l'on tourne en spirale. Réserver ces spirales, couper l'orange en deux, la presser et recueillir son jus.

Couper le melon en deux, enlever les graines, puis en peler une moitié. Garder deux fines barquettes pour le décor. Mixer le reste dans le Blender avec les jus d'orange et de raisin. Verser le tout dans les verres à long drink. Parsemer la surface avec la poudre d'amandes, décorer avec les spirales d'orange les barquettes de melon et servir.

Ustensiles : presse-citron, Blender

Pour 2 grands verres :
1 orange non traitée
½ melon cantaloup
100 ml de jus de raisin blancs
1 c.s. de poudre d'amandes

power

Le melon cantaloup

Ce type de melon est le plus riche en caroténoïdes, substances qui tonifient les cellules de notre corps.
Il faut donc le préférer à tous les autres.
Veillez également à ce qu'il soit toujours mûr : il doit être parfumé et céder légèrement sous la pression du pouce.

Régal de légumes
bourré de potassium, drainant et dépuratif
à l'aneth

Laver l'aneth, l'essuyer dans un torchon, enlever les feuilles des tiges et les couper finement. Peler le concombre, le couper en rondelles épaisses, sans oublier d'en mettre
quelques-unes de côté pour la décoration.

Pour 2 grands verres :
1 bouquet d'aneth
1 petit concombre
200 ml de jus de tomate
100 ml de jus de carotte
Poivre de Cayenne

Mixer dans le Blender le reste du concombre, l'aneth et
les jus de tomate et de carotte. Assaisonner de poivre de
Cayenne avant de verser le tout dans des verres. Inciser
les rondelles de concombre afin de les ficher sur le rebord
des verres. Vous pouvez aussi piquer deux rondelles de concombre sur un cure-dents
et en décorer les verres avant de servir le cocktail.

Ustensile : Blender

Conseil de décoration : couper un concombre non pelé dans le sens de la longueur.
Avec un couteau économe, retirer de fines bandes de concombre. Rouler une tomate-
cerise et une branche d'aneth dans chaque bande. Glisser l'ensemble, avec une tomate-
cerise, sur une pique en bois et poser le tout en travers sur le verre.

De l'aneth en réserve
Frais, l'aneth ne se conserve pas longtemps ;
séché, il manque de parfum. Pour en avoir
toujours sous la main, coupez finement cette
herbe aromatique et congelez-la.

power

Délice
substances tonifiantes à profusion
de légumes épicé

Peler le poivron, le couper en deux, enlever les graines et les cloisons, puis laver les moitiés avant de les couper en petits morceaux. Laver le persil et le sécher avec un torchon.

Pour 2 grands verres :
1 poivron rouge
½ bouquet de persil
200 ml de jus de tomate
200 ml de bouillon froid
type Viandox
Tabasco
Jus de citron
Sel
Poivre

Enlever les feuilles des tiges, en garder quelques-unes pour la décoration et passer le reste au Blender avec le poivron, le jus de tomate et le bouillon froid. Assaisonner avec le jus de citron, le sel, le poivre et le tabasco. Verser dans les verres et décorer de quelques feuilles de persil et servir aussitôt.

Ustensiles : Blender, 2 grands verres

Variante : le bouillon peut être fait « maison » avec des légumes et l'on peut remplacer le jus de tomate par du jus de carotte. Mieux vaut alors assaisonnez la composition avec du curry doux plutôt qu'avec du tabasco et du jus de citron.

Conseil de décoration : découper deux larges bandes dans les moitiés de poivron et s'en servir comme mélangeurs comestibles.

Le poivron
Le poivron rouge contient beaucoup plus de vitamine C que le vert. Pour les deux sortes, les taches brunes sur la peau signifient que le légume n'est plus très frais.

power

Cocktail fantaisie
stimule la digestion et le fonctionnement du métabolisme
fruité

Pour 2 grands verres : 100 ml de jus de choucroute (rayon diététique des magasins spécialisés) - 100 ml de jus d'ananas - 200 ml de jus de pomme - 2 morceaux d'ananas et 2 de pomme - feuilles de menthe

Mélanger les jus de choucroute, de pomme et d'ananas. Verser le mélange dans les verres. Inciser les morceaux de pomme et d'ananas pour les ficher sur le rebord des verres. Laver les feuilles de menthe, les sécher avec un torchon. Décorer les cocktails avec la menthe, ajouter des chalumeaux et servir.

Ustensiles : 2 chalumeaux

power

Cocktail
c'est la botte italienne
blanc-rouge-vert

Pour 2 grands verres : 1 bouquet de basilic - 200 ml de jus de tomate - 150 g de yaourt crémeux - vinaigre balsamique - huile d'olive - sel - poivre - tomates-cerises

Laver, égoutter le basilic et détacher les feuilles. En réserver quelques-unes, hacher le reste et disposer dans le Blender avec le jus de tomate et le yaourt. Ajouter vinaigre, huile d'olive, sel et poivre, puis mixer. Répartir dans les verres.

Laver, inciser les tomates-cerises afin de les ficher sur le rebord des verres. Décorer avec le basilic et servir.

Ustensile : Blender

Brise
avec vitamines A, C et E protectrices du système immunitaire
printanière

Tremper le rebord des verres dans le jus de poire, puis dans la poudre d'amande. Laver, sécher, partager la nectarine en deux et la dénoyauter. Prélever deux fines barquettes et les tenir en réserve pour la décoration. Peler le reste de la nectarine et le disposer dans le Blender avec les jus de pamplemousse, d'orange et de poire. Ajouter le gingembre, mixer et verser la composition dans les verres. Inciser les barquettes de nectarine par le milieu pour les ficher sur le rebord des verres et servir aussitôt.

Ustensiles : Blender, 2 chalumeaux

Pour 2 grands verres :
1 nectarine
1 c.s. de poudre d'amandes
100 ml de jus de pamplemousse
100 ml de jus d'orange
100 ml de jus de poire
1 c.c. de gingembre râpé

Variante : vous pouvez aussi confectionner ce cocktail avec une pêche ou une mangue. Pour la mangue, peler le fruit et séparer la chair du noyau ; le mieux est de procéder avec un couteau à découper flexible. Ecraser ensuite la chair avec les jus de fruits.

Conseil de décoration : il est possible de remplacer les tranches de nectarine par de la noix de coco râpée. Tremper le rebord des verres dans le jus, puis dans la noix de coco.

Cocktail radis-

riche en caroténoïdes et vitamine C

chou-rave

Pour 2 grands verres : 6 radis - ½ petit chou-rave - 100 ml de jus de céleri - 200 g de kéfir - ½ c.c. de poudre de cumin - sel - poivre - 2 branches de céleri

Parer radis et chou-rave. Laver les radis, peler le chou-rave et couper le tout grossièrement. Disposer ces légumes dans le Blender, mixer avec le jus de céleri, puis filtrer dans une passoire. Mélanger cette composition avec le kéfir et relever avec cumin, sel et poivre. Répartir dans les verres. Nettoyer, gratter et laver les branches de céleri. Décorez chaque cocktail avec une branche avant de servir.

Ustensiles : Blender, passoire

Cocktail

*le trio gagnant des défenses immunitaires :
bêta-carotène, vitamine C et acide lactique*

au kéfir rose

Pour 2 grands verres : 1 petite betterave crue d'environ 100 g - 60 g de choucroute crue - 100 g de kéfir - 100 ml de jus de carotte - 100 ml de jus de cassis - poivre - sel - ½ c.c. de coriandre en poudre

Peler la betterave et la couper ainsi que la choucroute grossièrement. Les disposer dans le Blender avec les jus de carotte et de cassis. Mixer, puis filtrer dans une passoire. Mélanger la composition obtenue avec le kéfir. Relever avec sel, poivre et poudre de coriandre. Verser le cocktail dans les verres et servir avec un chalumeau.

Ustensiles : Blender, passoire, 2 chalumeaux

Quick
pour le plaisir
& Easy Drink

Dorer la noix de coco, râpée à sec, dans une poêle antiadhésive. Tremper alors le rebord de chaque verre dans le jus d'ananas, puis, dans la noix de coco. Peler la mangue, la fendre délicatement avec un couteau à lame flexible pour enlever le noyau, puis découper la chair en petits morceaux. Mixer ceux-ci dans un Blender avec les jus de pamplemousse, d'ananas et de raisin. Verser la composition dans les verres et en saupoudrer la surface avec le reste de noix de coco et le sucre vanillé. Servir avec un chalumeau.

Pour 2 grands verres :
1 petite mangue
100 ml de jus de pample-mousse
100 ml de jus d'ananas
100 ml de jus de raisin
Noix de coco
Sucre vanillé

Ustensiles : Blender, 2 gros chalumeaux

Conseil de décoration : rouler un morceau de mangue dans la noix de coco grillée, le laisser sécher quelques instants et le placer sur le rebord du verre.

La mangue
Ce fruit exotique renforce les défenses immunitaires grâce à ses nombreuses vitamines protectrices. Il possède un gros noyau dur : pour détacher la chair proprement, il faut couper le fruit de gauche à droite, aussi près du noyau que possible, avec un couteau à lame flexible. A noter que la couleur de la mangue ne reflète pas toujours son degré de maturité.

power

Glace mangue-yaourt
fortifiant allégé pour les grosses chaleurs
au kéfir d'ananas

Faire bouillir l'eau et le sucre, puis laisser refroidir ce sirop à la température du réfrigérateur. Laver et sécher le citron vert, le peler finement en spirale, le couper en deux, le presser et en recueillir le jus.

Pour 2 grands verres :
2 c.s. de sucre
2 c.s. d'eau
1 citron vert bio
1 mangue
100 g de yaourt maigre (probiotique)
200 ml de jus d'ananas
200 g de kéfir

Peler la mangue, la fendre délicatement avec un couteau à lame flexible pour ôter le noyau, puis couper la chair en petits morceaux. Mixer ceux-ci dans un Blender avec le sirop, le jus de citron vert et le yaourt.

Verser ce mélange dans un récipient plat, et laisser congeler quatre heures en remuant la composition à plusieurs reprises. Incorporer ensuite le jus d'ananas au kéfir et répartir dans les verres. Prélever alors des boules de glace mangue-yaourt et les poser dans le kéfir d'ananas. Décorer avec les spirales de citron vert et servir.

Ustensiles : Blender, compartiment congélateur 3 étoiles

Variante : remplacer la mangue par 200 g de fraises, de framboises ou de myrtilles ; les laver, les essuyer avant de les mixer avec le yaourt. Vous pouvez également parfumer la glace avec deux cuillerées à soupe de noix de coco râpée et une cuillerée à soupe de chocolat râpé au lieu d'utiliser du citron vert. Rajouter un peu de miel si les baies ne sont pas assez sucrées.

Cocktail
avec le petit goût amer du pamplemousse
coco-Caraïbes

Peler la banane et la couper en rondelles. Peler également la papaye, la couper en deux, enlever les graines et détailler grossièrement la chair en morceaux. Couper le pamplemousse en deux, le presser et recueillir le jus. Mixer dans le Blender banane, papaye, jus de pamplemousse et lait de coco en diluant avec un peu d'eau minérale pour obtenir une consistance onctueuse.

Verser la composition dans des grands verres et saupoudrer la surface avec une pincée de vanille en poudre.

Pour 2 grands verres :
1 petite banane bien mûre
1 petite papaye
1 pamplemousse non traité
2 c.c. de lait de coco
100 ml de jus de raisin glacé
Eau minérale plate
2 pincées de vanille
en poudre

Ustensiles : presse-citron, Blender

Variante : vous pouvez remplacer la papaye par une mangue. Peler alors cette dernière, séparer la chair du noyau et l'écraser avec les autres ingrédients en procédant comme dans la recette.

La papaye

Ce fruit des tropiques apporte des vitamines A et C, championnes de la stimulation des défenses immunitaires ; elles protègent notamment contre la grippe et les dommages occasionnés par des rayons de soleil trop agressifs. La peau de la papaye devrait toujours être jaune orangé et non verte : c'est un signe de bonne maturité.

power

Cocktail

agréable du lever du jour à minuit

bonne humeur

Pour 2 grands verres: 100 ml de jus de raisin blanc - 3 oranges non traitées - 100 ml de jus de poire - 50 ml de jus de cassis

Congeler le jus de cassis dans un bac à glaçons pendant quatre heures. Couper les oranges en deux, mettre deux quartiers de côté et presser le reste. Mélanger alors les jus d'orange, de raisin et de poire. Mettre deux ou trois glaçons de jus de cassis dans chaque verre et verser le cocktail dessus. Entailler les quartiers d'orange tenus en réserve, pour les ficher sur le rebord des verres et servir.

Ustensiles: presse-citron. bac à glaçons, congélateur 3 étoiles

Pink Kiwi

avec glace pilée

Colada

Pour 2 grands verres: 1 papaye - 4 kiwis - 100 ml de jus de cerise - 100 ml de jus de poire - eau gazeuse - 4 glaçons

Peler, couper la papaye en deux et enlever les graines. Peler également les kiwis. Mixer dans le Blender papaye et kiwis avec les jus de poire et de cerise. Envelopper les glaçons dans un torchon glacé, les frapper rapidement avec un marteau et répartir la glace pilée ainsi obtenue dans les verres. Finir de les remplir avec de l'eau gazeuse et servir avec des chalumeaux et deux longues cuillères à cocktail.

Ustensiles: Blender, torchon glacé, 2 chalumeaux, 2 longues cuillères à cocktail

Cooler
tonifiant et rafraîchissant
mangue-fraises

Laver, nettoyer les fraises puis les laisser sécher sur un torchon. Peler la mangue, séparer la chair du noyau avec un couteau à lame flexible et la couper en petits morceaux.

Pour 2 grands verres :
100 g de fraises
1 petite mangue
2 citrons verts
100 ml de jus de raisin glacé
100 ml de jus de pomme glacé
Eau minérale plate fraîche

Laver, sécher les citrons verts et les peler en spirale, puis les couper en deux et les presser.

Réserver quelques fraises, coupées en tranches, pour la décoration. Mixer le reste au Blender avec la chair de la mangue, les jus de citron vert, de raisin et de pomme. Ajouter éventuellement de l'eau minérale.

Verser ensuite le cocktail dans les verres, décorer avec les spirales de citron vert et les tranches de fraises puis servir.

Ustensiles : presse agrumes, Blender

Couper la mangue

Tout d'abord, ne pas la peler, mais séparer la chair et la peau du noyau en coupant le fruit par petits mouvements de gauche à droite. Entailler soigneusement les moitiés côté chair, en damier, de gauche à droite et de haut en bas, sans enlever la peau. Enfoncer alors le côté bombé vers l'intérieur afin de faire ressortir les damiers. Séparer ensuite les morceaux de chair de la peau.

power

Cocktail

riche en bêta-carotène, bon pour la peau

écran total

Pour 2 grands verres : 1 mangue - 100 ml de jus d'ananas - 100 ml de jus de carotte - 100 ml de jus de pomme - ½ c.c. de zeste râpé de citron vert - 2 feuilles de menthe - glaçons

Peler la mangue, garder une tranche pour la décoration et ôter le noyau. Couper la chair en petits morceaux et disposer dans le Blender avec les jus d'ananas, carotte et pomme. Mixer, puis verser dans les verres contenant des glaçons. Décorer le rebord des verres avec les feuilles de menthe et la tranche de mangue réservée, que l'on coupera en deux.

Ustensile : Blender

power

Highway

bourré de substances toniques

to Holiday

Pour 2 grands verres : 1 banane - 1 mangue - 150 ml de jus d'ananas - 1 c.c. de zestes d'orange râpés - Schweppes tonic bien frais

Peler la banane. Peler aussi la mangue et ôter le noyau. Couper la chair des deux fruits en petits morceaux et mixer dans le Blender avec le jus d'ananas et les zestes d'orange râpés. Verser dans les verres et compléter avec un peu de tonic. Servir avec des cuillères à cocktail.

Ustensiles : Blender, 2 gros chalumeaux, 2 cuillères à cocktail

power

Rêve
à la purée de melon cantaloup
d'été

Congeler un peu de jus de raisin dans des bacs à glaçons. Couper le melon en deux, enlever les graines à l'aide d'une cuillère, retirer délicatement la chair et la couper en petits morceaux.

Peler la mangue et séparer la chair du noyau, avec un couteau, avant de la détailler en petits morceaux. Les mixer dans le Blender avec le melon, les jus d'ananas et de raisin. Mettre deux ou trois glaçons de jus de raisin dans chaque verre et verser le cocktail. Laver ensuite les petits raisins blancs avec leur tige, les sécher et en décorer le rebord des verres. Servir avec des pailles.

Pour 2 grands verres :
100 ml de jus de raisin blanc
½ melon cantaloup
1 mangue
200 ml de jus d'ananas
2 grappillons de raisins blancs

Ustensiles : Blender, 2 pailles, congélateur, bac à glaçons

Conseil de décoration : vos glaçons de jus de raisin seront encore plus originaux si vous y ajoutez des petits raisins sans pépins.

Les raisins

Les raisins blancs ou noirs renferment de grandes quantités de colorants végétaux qui préservent la vitalité et la jeunesse du cœur et du système circulatoire. Plus vous consommez ces substances, appelées flavonoïdes, moins vous risquez l'infarctus et les maladies cancéreuses.

Cocktail

le passeport vitalité sans frontières

Green Card

Laver la coriandre fraîche et bien la sécher dans un torchon. Détacher les feuilles de leur tige et les couper finement. Emincer la ciboulette en petites rondelles.

Laver l'aneth, en détacher les brins et les garder pour la décoration. Peler l'avocat et le couper dans le sens de la longueur, enlever le noyau et mettre deux tranches de côté en prenant soin de les enduire de jus de citron.

Mixer le reste de la chair au Blender avec les herbes aromatiques, le kéfir, le sel, le jus de citron et une pincée de chili. Diluer avec un peu d'eau minérale pour obtenir une consistance onctueuse, puis répartir dans les verres.

Entailler les tranches d'avocat réservées pour les faire tenir sur le rebord des verres. Parsemer la surface avec les brins d'aneth et servir aussitôt.

Ustensile : Blender

Pour 2 grands verres :
Quelques branches d'aneth
Quelques branches de coriandre fraîche
1 bouquet de ciboulette
1 avocat
400 g de kéfir
Jus de citron
Eau minérale plate
1 pincée de poudre de chili
Sel

Couper les herbes
Vous pouvez couper les herbes rapidement avec des ciseaux de cuisine : maintenir la ciboulette d'une main et la trancher finement à l'aide des ciseaux. Quant aux feuilles d'aneth, vous les séparerez facilement des grosses tiges avec des ciseaux pointus..

Bolée
fruits de saison à volonté
aux fruits rouges

Laver, nettoyer et trier les fruits rouges. Les essuyer dans un torchon. Couper éventuellement les plus gros. Laver, sécher le citron vert, le peler en spirale avec un couteau

Pour 2 grands verres :
2 c.s. de fruits rouges selon saison
1 citron vert
100 ml de jus de cerise
100 ml de jus de groseilles rouges
200 ml de tonic

bien aiguisé. Le couper ensuite en deux et presser le jus. Le mélanger avec les jus de cerise et de groseilles. ajouter le tonic. Verser alors le cocktail dans les verres, parsemer de fruits rouges et de spirales de citron et servir aussitôt.

Ustensile : presse-agrumes

Conseil de décoration : rouler les gros fruits rouges dans du sucre en poudre et de la noix de coco râpée pour en décorer le rebord des verres. Servez toujours le cocktail avec des petites piques garnies d'une cerise, d'un petit morceau de citron vert et d'un fruit rouge.

Les framboises
Plutôt chères, elles justifient leur prix lorsqu'elles développent tout leur arôme. En outre, elles renferment beaucoup de vitamines, de minéraux, de fibres et autres substances tonifiantes. Elles renforcent ainsi les défenses immunitaires, facilitent la digestion et fortifient le cœur et le système circulatoire.

power

Cocktail énergétique
stimulant du corps et de l'esprit
au poivron rouge

Pour 2 grands verres : 1 poivron rouge - 100 ml de jus de carotte - 100 ml de jus d'ananas - 100 ml de jus de raisin - curry doux en poudre - quelques brins de cerfeuil

Laver le poivron, le couper en deux, enlever les graines, la tige et les parois. Passer au Blender avec les jus, puis filtrer à travers une passoire. Vous pouvez aussi extraire le jus du poivron à l'aide d'une centrifugeuse et le mélanger ensuite avec les autres jus. La composition obtenue est répartie dans les verres. Avant de servir, saupoudrer la surface de curry et la parsemer avec les brins de cerfeuil.

Ustensiles : Blender ou centrifugeuse

Cocktail
les bienfaits de la lactofermentation
scoubidou

Pour 2 grands verres : 200 g de brocolis - 60 g de betterave crue - 100 ml de jus de pomme - 100 g de choucroute - gingembre en poudre

Laver les brocolis et bien les égoutter. Réserver deux têtes pour la décoration. Parer la betterave et la peler. Passer à la centrifugeuse brocolis, betterave et choucroute. Mélanger la composition avec le jus de pomme et verser ce mélange dans les verres. Saupoudrer la surface avec une pincée de gingembre en poudre et servir.

Ustensile : centrifugeuse

Cure de vitalité
aux trois fruits parfumés
aux fruits

Peler la banane, laver et trier les myrtilles. Couper la nectarine en deux, retirer le noyau et la peau. Réserver quelques rondelles de banane, quelques myrtilles et de petits morceaux de nectarine pour la décoration.

Passer le reste des fruits au Blender avec le jus de poire et le kéfir. Diluer éventuellement avec de l'eau minérale si le mélange est trop épais. Assaisonner avec la cannelle. Verser le cocktail dans les verres et saupoudrer d'un peu de cacao et de cannelle en poudre.

Alterner rondelles de banane, myrtilles et morceaux de nectarine sur deux piques en bois, les poser sur le rebord des verres et servir.

Ustensiles : Blender, 2 piques en bois

Pour 2 grands verres :
I banane
100 g de myrtilles
I nectarine
100 ml de jus de poire
100 g de kéfir
Eau minérale plate
Cannelle en poudre
Cacao en poudre

Conseil de décoration : tremper le rebord des verres dans le jus de poire, puis dans le cacao ou la cannelle en poudre. Verser délicatement le cocktail dans les verres et servir.

power

Cocktail
avec un remontant, le persil
du noctambule

Pour 2 grands verres : 200 ml de jus de tomate - 100 ml de jus de pomme - 1 goutte de tabasco - jus de citron - 100 ml de jus de carotte - 6 branches de persil - quelques gouttes de Worcester sauce

Mélanger les jus de tomate, de pomme et de carotte. Assaisonner avec tabasco, Worcester sauce et quelques gouttes de jus de citron. Laver, sécher le persil, en hacher finement la moitié et la mélanger aux jus. Verser dans des verres à cocktail et servir avec le reste des feuilles de persil.

Ustensiles : 2 verres à cocktail

power

Drive-in
riche en magnésium, fortifiant des muscles
Cocktail

Pour 2 grands verres : 1 banane - 75 ml de jus de tomate - 75 ml de jus d'orange - 75 ml de jus de pamplemousse - 75 ml de jus d'ananas - girofle en poudre - 2 tomates-cerises - 2 morceaux d'ananas

Peler la banane, l'émincer grossièrement, puis la mixer au Blender avec les jus de tomate, orange, pamplemousse et ananas. Relever d'un peu de girofle en poudre puis verser dans les verres. Entailler les tomates et les morceaux d'ananas pour en décorer le rebord des verres. Servir avec des chalumeaux.

Ustensiles : Blender, 2 chalumeaux

power

Cocktail petit-lait-

tonifie le métabolisme

pomme-abricot

Laver, couper les abricots en deux et retirer les noyaux. Réserver deux moitiés d'abricot pour la décoration et couper le reste en petits morceaux.

Mixer ces fruits dans le Blender avec les jus de pomme, d'orange et le petit-lait. Aromatiser le cocktail, selon votre goût, avec le sucre vanillé, et verser ce mélange dans les verres. Couper les moitiés d'abricots réservées en deux, les entailler pour décorer avec les feuilles de menthe et servir.

Ustensile : Blender

Pour 2 grands verres :
6 abricots
100 ml de jus de pomme
100 ml de jus d'orange
150 ml de petit-lait
Sucre vanillé
(vanille Bourbon) à volonté
Feuilles de menthe

Conseil de décoration : laver une petite pomme, enlever les pépins à l'aide d'un vide-pomme et la couper en fines rondelles. Tremper rapidement ces rondelles de pomme dans du jus de citron, les entailler et en décorer le rebord des verres avec les morceaux d'abricot.

Le petit-lait

C'est le liquide qui reste lors de la fabrication du fromage. Il contient de l'acide lactique et des protéines dont les spécialistes eux-mêmes reconnaissent le pouvoir sur l'équilibre hormonale et la digestion.

power

Shake de kiwi

vitamines C et bêta-carotène : à fond la forme pour l'été

à la glace au melon

Faire bouillir l'eau avec le sucre. Laisser refroidir ce sirop à la température du réfrigérateur. Peler deux kiwis et les couper en morceaux. Couper également le melon, ôter les pépins et retirer la chair à l'aide d'une cuillère. Mixer ces fruits au Blender avec le yaourt et le sirop. Verser le mélange dans un récipient plat et faire congeler 4 heures au moins en remuant la composition à plusieurs reprises avec une fourchette. Couper la gousse de vanille dans le sens de la longueur et en prélever la poudre en raclant l'intérieur avec un couteau.

Peler les kiwis restants, les mixer, à leur tour, au Blender avec l'eau minérale et la poudre de vanille. Garnir chaque verre d'une boule de glace kiwi-yaourt, ajouter l'eau minérale au kiwi, puis servir aussitôt avec deux longues cuillères à cocktail et deux pailles.

Pour 2 grands verres :
2 c.s. de sucre
2 c.s. d'eau
5 kiwis
½ melon cantaloup
150 g de yaourt maigre
(probiotique)
200 ml d'eau minérale plate
bien froide
1 gousse de vanille

Ustensiles : Blender, congélateur 3 étoiles, 2 pailles, 2 cuillères à cocktail

Les enzymes des fruits

Les kiwis, les mangues et les ananas frais contiennent des enzymes qui divisent les protéines. Ainsi, les mets associés à ces fruits sont instables, et même amers si on y ajoute du fromage blanc ou du yaourt. Pour que les enzymes ne produisent pas de substances amères dans le cocktail, il faut congeler aussitôt le coulis de fruits au yaourt, dans un congélateur 3 étoiles minimum.

Cocktail banane-
riche en lécithine et minéraux bénéfiques pour les nerfs
fruits rouges

Dorer la poudre d'amande à sec dans une poêle antiadhésive. Peler la banane, garder quelques rondelles pour la décoration et couper le reste en petits morceaux. Laver soigneusement les fruits rouges, les trier puis les sécher sur un torchon. Mettre également quelques baies de côté.

Mixer le reste au Blender avec les morceaux de banane, le babeurre et l'extrait d'amande amère. Diluer avec un peu d'eau minérale si le mélange est trop épais.

Verser le cocktail dans les verres. Mélanger la cannelle avec la poudre d'amande et saupoudrer la surface avec cette composition. Décorer avec les rondelles de banane et les fruits rouges mis en réserve, puis servir.

Pour 2 grands verres :
1 banane
150 g de mûres
(ou autres fruits rouges)
2 c.s. de poudre d'amande
300 ml de babeurre
Eau minérale plate
Cannelle en poudre
2 gouttes d'extrait naturel d'amande amère

Ustensile : Blender

Variante : vous pouvez transformer ce cocktail en boisson rafraîchissante pour l'été en rajoutant simplement de la glace pilée (que vous confectionnerez en écrasant au marteau quelques glaçons dans un torchon réfrigéré).

La banane
De tous les fruits, la pomme est la seule à pouvoir la surpasser. Les bananes donnent à chaque boisson un goût sucré, une texture crémeuse et veloutée. Les enfants les adorent et les parents les apprécient pour leur teneur élevée en magnésium. Elles stimulent les muscles fatigués des enfants, mais protègent également les sportifs contre des crampes lancinantes dans les jambes.

power

Milk-shake velouté
fournit une énergie nouvelle en cas de petit creux
au babeurre

Pour 2 grands verres : 200 ml de babeurre - 100 ml de jus d'ananas - 100 ml de jus de raisin - 2 gousses de vanille - 2 longs bâtons de cannelle

Fendre les gousses de vanille dans le sens de la longueur et prélever la poudre en raclant l'intérieur à l'aide d'un couteau. Disposer dans le Blender babeurre, jus d'ananas et de raisin, ainsi que la poudre de vanille, puis mixer. Servir avec des bâtons de cannelle et des chalumeaux.

Ustensiles : Blender, 2 grands chalumeaux

Cocktail
au kéfir frais
aux fraises

Pour 2 grands verres : 200 g de fraises - 2 c.s. de kéfir - 100 ml de jus de raisin - 100 ml de jus d'orange - 2 gousses de vanille

Fendre les gousses de vanille dans le sens de la longueur et prélever la poudre en raclant l'intérieur à l'aide d'un couteau. Laver, nettoyer et sécher les fraises.

Les mixer dans le Blender avec le kéfir, les jus d'orange et de raisin ainsi que la poudre de vanille et servir.

Ustensile : Blender

Milk-shake
sa richesse en calcium assure la solidité des os
babeurre-framboises

Congeler le jus de raisin dans un bac à glaçons. Laver soigneusement les framboises, les trier et les laisser sécher sur un torchon. Réserver quelques baies pour la décoration.

Pour 2 grands verres :
50 ml de jus de raisin
150 g de framboises
50 ml de jus de poire
200 ml de babeurre
Eau minérale plate fraîche
Quelques raisins blancs
sans pépins

Mixer le reste au Blender avec le jus de poire et le babeurre. Diluer avec un peu d'eau minérale si le mélange est trop épais. Disposer les glaçons de jus de raisin dans les verres, puis verser le milk-shake. Laver, trier les raisins, les sécher, puis les égrapper et les couper en deux. Décorer le milk-shake avec les moitiés de raisins et les framboises réservées, puis servir.

Ustensiles : Blender, bac à glaçons, congélateur 3 étoiles

Variante : pour obtenir une boisson d'été rafraîchissante, vous pouvez utiliser des framboises congelées. Faites-les décongeler légèrement. Ne pas congeler le jus de raisin, mais le mixer avec les framboises décongelées puis incorporer le babeurre.

Les glaçons très froids refroidissent moins efficacement

Si les glaçons sont déjà un peu dégelés, ils refroidiront mieux le cocktail. En effet, plus ils sont gros et très gelés, plus ils fondent lentement et moins ils refroidissent la boisson.

Milk-shake
aux jus d'ananas et de cerise
babeurre-coco

Pour 2 grands verres: I gousse de vanille - 2 c.s. de lait de coco - 100 ml de babeurre - 200 ml de jus de cerise - 4 cerises reliées 2 à 2 par le pédoncule - noix de coco râpée - 100 ml de jus d'ananas

Tremper le rebord des verres dans le jus d'ananas, puis dans la noix de coco. Fendre la gousse de vanille dans le sens de la longueur et racler l'intérieur avec un couteau pointu. Disposer la poudre dans le Blender avec le babeurre, le lait de coco, les jus d'ananas et de cerise. Mixer. Verser alors délicatement le cocktail dans les verres. Décorer en faisant chevaucher les cerises sur le rebord des verres, grâce aux pédoncules, et servir.

Ustensile: Blender

Pousse-café
énergétique et bon pour le moral
au yaourt

Pour 2 grands verres: I banane - 150 g de yaourt - 100 ml de jus d'orange - sucre vanillé (vanille Bourbon) - 50 ml de jus d'argousier sucré - cacao en poudre non sucré - chocolat noir rapé

Peler la banane, la couper en rondelles puis la mixer au Blender avec le yaourt, le jus d'orange. et le sucre vanillé. Verser le tout dans les verres, puis ajouter délicatement le jus d'argousier, sans le mélanger. Saupoudrer généreusement de cacao et parsemer avec le chocolat noir avant de servir.

Ustensiles: Blender

Cocktail

le plein de santé avec les fibres

aux prunes et yaourt

Laver, égoutter les prunes puis les équeuter, les couper en deux et ôter les noyaux. Les mixer au Blender avec le yaourt, le sucre, le jus de pomme et le sirop d'orgeat. Aromatiser avec la cannelle en poudre et quelques gouttes de jus de citron. Diluer avec un peu d'eau minérale si le mélange est trop épais. Verser la composition dans les verres, saupoudrer de muscade, décorer chaque verre d'un bâton de cannelle et servir aussitôt.

Ustensile : Blender

Pour 2 grands verres :
150 g de prunes
200 g de yaourt
1 c.s. de sucre
100 ml de jus de pomme
Eau minérale plate
Cannelle en poudre
Jus de citron
2 longs bâtons de cannelle
1 c.s. de sirop d'orgeat
Muscade en poudre

Variante : si vous préparez le cocktail avec du kéfir plutôt qu'avec du yaourt, il aura un goût acidulé et très frais. Pour le rendre encore plus onctueux, remplacez les prunes par une grosse banane.

Le yaourt

Pour confectionner les cocktails à base de yaourt, choisissez toujours du yaourt doux, pas trop acide. En outre, évitez de l'exposer à la chaleur. En effet, celle-ci détruit les bactéries lactiques qui protègent la flore intestinale. Vous éviterez ainsi diarrhée et autres désagréables problèmes de digestion. Les yaourts probiotiques sont particulièrement efficaces pour réguler la digestion.

power

Milk-shake
aux senteurs de cannelle et vanille
figues-banane

Fendre la gousse de vanille dans le sens de la longueur et racler la poudre intérieure à l'aide d'un couteau. Peler la banane, réserver quelques rondelles pour la décoration et couper le reste en petits morceaux. Ouvrir les figues, retirer la chair avec une cuillère à café. Mettre alors dans le Blender banane, figues et babeurre. Aromatiser avec la poudre de vanille, la cannelle et les zestes de citron vert, puis mixer. Diluer avec l'eau minérale et verser la composition dans les verres. Décorer avec les rondelles de banane, saupoudrer de cannelle et servir.

Pour 2 grands verres :
1 banane
2 figues fraîches
200 ml de babeurre
1 gousse de vanille
200 ml d'eau minérale plate
Cannelle en poudre
1 c.c. de zeste de citron vert râpé

Ustensile : Blender

Conseil de décoration : briser quelques glaçons dans un torchon réfrigéré et verser cette glace pilée dans les verres. Ajouter du lait aux figues et à la banane. Décorer de tranches de banane et de figues et servir avec de longues gousses de vanille et des bâtons de cannelle.

Ouvrez l'œil en achetant les figues

Les figues pas mûres n'ont pas de goût. Achetez seulement les figues dont la peau est brun-rouge, légèrement violacée. Les figues vertes ne sont pas arrivées à maturité.

power

Lait d'amande
riche en vitamine B, pour l'énergie et des nerfs solides
à l'ananas

Disposer dans le Blender la poudre d'amande, la noix de coco râpée, le jus d'ananas, le lait, le yaourt et le sucre vanillé. Mixer 2 à 3 min afin d'obtenir une consistance onctueuse. Filtrer la composition à travers une passoire. Verser dans les verres, saupoudrer la surface avec une pincée de cacao en poudre et servir aussitôt.

Pour 2 grands verres :
3 c.s. de poudre d'amande
70 g de noix de coco râpée
200 ml de jus d'ananas
100 ml de lait
100 ml de yaourt
Sucre vanillé
(vanille Bourbon)
2 pincées de cacao en
poudre non sucré

Ustensiles : Blender, passoire

Variante : si vous souhaitez un cocktail plus corsé, remplacez le lait par du jus de pamplemousse et supprimez le sucre vanillé.

Conseil de décoration : égoutter une tranche d'ananas en boîte, la couper en six ; rouler les morceaux dans de la noix de coco râpée et en décorer le rebord des verres.

La noix de coco

La noix de coco râpée accompagne délicieusement les jus de fruits. D'autre part, sa teneur élevée en sélénium fait du petit ingrédient blanc un champion de la forme. En effet, le sélénium est un oligo-élément qui élimine les toxines du corps en produisant des enzymes capables de neutraliser les polluants et les substances nocives pour les cellules.

power

Flip

avec des caroténoïdes, détoxifiants du corps

mâche-babeurre

Pour 2 grands verres: 50 g de mâche - 3 c.s. de poudre d'amande - 100 ml de jus de pomme - 100 ml de jus de carotte - 150 ml de babeurre - 1 citron vert non traité - noix de muscade

Laver soigneusement la mâche, garder quelques jolies feuilles pour la décoration. Laver le citron vert et râper 1 c.c. de zeste. Couper ensuite le fruit en deux, le presser et recueillir le jus. Mixer alors, dans le Blender, la mâche, la poudre d'amande, les jus de pomme et de carotte, le babeurre, le jus et le zeste du citron. Filtrer la composition à travers une passoire, puis verser dans les verres. Saupoudrer avec une pincée de muscade et décorer avec les feuilles de mâche tenues en réserve. Servir.

Ustensiles: Blender, passoire

Lait

vitamines et minéraux pour un mélange fitness

melon-concombre

Pour 2 grands verres: 1 bouquet d'aneth - 1 concombre - ½ melon cantaloup - 100 ml de babeurre - sel - poivre

Laver, égoutter l'aneth, enlever les grosses tiges et réserver quelques brins pour la décoration Couper quelques rondelles de concombre et les tenir aussi en réserve. Peler le reste du concombre. Retirer la chair du demi-melon et la mixer au Blender avec le concombre, l'aneth et le babeurre. Relever avec sel et poivre. Répartir la composition dans les verres, décorer avec l'aneth et les rondelles de concombre et servir.

Ustensile: Blender

power

Punch
bourré de vitamine C
anti-grippe

Porter l'eau à ébullition. Y faire infuser le thé pendant 5 min à couvert. Laver, sécher les oranges et les peler finement en spirale à l'aide un couteau bien aiguisé. Couper alors les agrumes en deux et les presser. Filtrer le thé à travers une passoire et le verser dans une casserole en ajoutant les jus d'orange et de pamplemousse. Aromatiser avec l'anis étoilé et sucrer à volonté. Chauffer le mélange, sans le laisser bouillir et le servir dans des verres à punch chauds avec du sucre candi brun et les spirales d'oranges.

Pour 2 grands verres :
200 ml d'eau
2 c.c. de thé Assam
2 oranges non traitées
100 ml de jus
de pamplemousse
1 c.c. d'anis étoilé
Sucre
2 c.s. de sucre candi brun

Ustensiles : presse-agrumes, une passoire, 2 grands verres à punch épais

Variante : si vous préférez un punch plus sucré, remplacez le jus de pamplemousse par du jus de raisin, une cuillerée à café de jus de citron et un peu de miel de sapin.

La vitamine C

Les agrumes sont riches en vitamine C. On retrouve donc leur jus, de préférence fraîchement pressé pour préserver les vitamines dans beaucoup de cocktails énergétiques. Les oranges sanguines contiennent, outre les vitamines des défenses immunitaires, des caroténoïdes en grande quantité. Ces deux substances toniques ont la même fonction : protéger efficacement les cellules contre les substances nuisibles agressives.

power

Sweet
à déguster chaud ou froid
Iron-Man

Pour 2 grands verres : 200 ml de jus de cerise - 100 ml de jus de cassis - 100 ml de jus de betterave lacto fermenté - 2 clous de girofle - 1 pincée de graines de cardamome - 2 grappes de groseilles

Chauffer les jus dans une casserole en ajoutant clous de girofle et cardamome. Filtrer à travers une passoire et verser dans des verres à punch chauds. Décorer le rebord des verres avec les groseilles et servir aussitôt.

Ustensiles : 2 grands verres à punch épais, passoire

power

Punch
idéal contre la grippe
d'hiver

Pour 2 grands verres : 100 ml d'eau - 1 c.c. d'infusion d'églantier - 100 ml de jus de cassis - 100 ml de jus de raisin - 3 clous de girofle

Porter l'eau à ébullition. Y faire infuser la tisane d'églantier pendant 10 min, à couvert, avec les clous de girofle. Filtrer à travers une passoire, puis mettre à chauffer dans une casserole, avec les jus de fruits, sans laisser bouillir. Servir dans des verres à punch chauds.

Ustensiles : passoire, 2 grands verres à punch épais

Cocktail
boisson chaude pour soirées fraîches
verger-heure bleue

Laver délicatement les mûres fraîches, les trier et les sécher sur un torchon. Si vous utilisez des mûres surgelées, les décongeler au préalable.

Les mixer dans un Blender avec les jus de raisin, de cassis et de griottes. Filtrer le mélange dans une passoire, puis le faire chauffer dans une casserole avec de la cannelle en poudre sans le porter à ébullition. Verser le cocktail dans des verres à punch chauds et servir avec les bâtons de cannelle.

Ustensiles : Blender, passoire, 2 grands verres à punch épais

Pour 2 grands verres :
150 g de mûres
100 ml de jus de raisin noir
100 ml de jus de cassis
100 ml de jus de griottes
Cannelle en poudre
2 longs bâtons de cannelle

Variante : si vous n'avez pas envie d'une boisson chaude, renoncez simplement à faire chauffer les jus et supprimez la cannelle en poudre et en bâtons. Ajoutez du sucre ou du jus d'ananas selon votre goût.

Conseil de décoration : alterner des morceaux d'ananas et des mûres sur des piques en bois, les servir avec le cocktail.

Les mûres

L'idéal est de les consommer fraîches, bien qu'il ne soit pas toujours facile de s'en procurer. Les mûres surgelées restent, toutefois, goûteuses et contiennent beaucoup de sels minéraux comme le calcium, le magnésium et le fer. Elles fortifient ainsi les os, le corps et les défenses immunitaires.

power

Punch
pour stimuler les défenses immunitaires
agrumes-camomille

Porter l'eau à ébullition. Y faire infuser la camomille pendant 10 min à couvert. Entre-temps, laver soigneusement les oranges et le citron à l'eau chaude, les sécher et les peler en spirale avec un couteau bien aiguisé. Couper le pamplemousse et les oranges en deux, puis les presser.

Pour 2 grands verres:
200 ml d'eau
2 c.c. d'infusion de camomille
½ citron non traité
2 oranges non traitées
1 pamplemousse
4 c.c. de sucre

Filtrer l'infusion à travers une passoire. La chauffer dans une casserole avec le jus des agrumes et le sucre, sans faire bouillir.

Verser dans des verres à punch chauds. Décorer avec les spirales d'orange et de citron puis servir.

Ustensiles: presse-agrumes, passoire, 2 grands verres à punch épais

Conseil de décoration: servir le punch avec des fleurs de camomille ou placer celles-ci sur le rebord des verres avec les spirales d'agrumes.

Plus de pression pour plus de jus

Pour extraire un maximum de jus des agrumes, vous pouvez rouler, préalable-ment, citrons, oranges et pample-mousses avec la main. Plus vous exerce-rez une pression forte, plus vous obtien-drez de jus en pressant les fruits.

power

Punch exotique
dissipe les maux de gorge
au fenouil

Porter l'eau à ébullition. Y faire l'infusion de fenouil pendant 10 min à couvert. Enlever les graines de la papaye, la peler et couper la chair en petits morceaux.

Pour 2 grands verres :
200 ml d'eau
1 c.c. d'infusion au fenouil
½ papaye
½ melon cantaloup
100 ml de jus d'ananas
Gingembre frais râpé

Prélever deux minces barquettes dans le melon. Enlever le reste de la chair à l'aide d'une cuillère et la mixer au Blender avec la papaye et le jus d'ananas. Filtrer l'infusion de fenouil à travers une passoire et la mélanger aux jus de fruits. Relever à volonté avec un peu de gingembre râpé, puis chauffer la composition dans une casserole sans faire bouillir. Verser le cocktail dans des verres à punch chauds, en décorer le rebord avec les barquettes de melon et servir chaud aussitôt.

Ustensiles : Blender, passoire, 2 grands verres à punch épais

Les infusions aux plantes médicinales

Vous pouvez les trouver, en petites quantités, en pharmacie. L'infusion au fenouil, par exemple, est efficace contre la toux ou le mal de tête. La camomille agit contre les inflammations et les douleurs d'estomac, la sauge contre les maux de gorge et le tilleul contre les infections et les refroidissements. Si vous n'aimez pas les infusions pures, vous pouvez essayer les mélanges infusions-jus de fruits.

power

Punch d'argousier
au pamplemousse et à l'anis
à la sauge

Pour 2 grands verres: 200 ml d'eau - 1 c.c. de sauge - 100 ml de jus de pamplemousse - 2 c.s. de jus d'argousier sucré - 3 c.c. de miel - anis en poudre - jus de citron

Porter l'eau à ébullition. Y faire infuser la sauge pendant 10 min à couvert. Filtrer l'infusion et la mélanger aux jus de pamplemousse et d'argousier et au miel. Aromatiser avec l'anis et le jus de citron. Chauffer dans une casserole sans laisser bouillir, puis verser le cocktail dans des verres à punch chauds et servir.

Ustensiles: passoire, 2 grands verres à punch épais

power

Punch
aux jus de citron et d'ananas
tilleul-pomme

Pour 2 grands verres: 200 ml d'eau - 2 c.c. d'infusion au tilleul - 150 ml de jus de pomme - 50 ml de jus d'ananas - jus de citron - sucre

Porter l'eau à ébullition. Y faire infuser le tilleul pendant 10 min à couvert. Filtrer l'infusion et la mélanger avec les jus de pomme et d'ananas. Aromatiser le mélange avec sucre et jus de citron et le chauffer sans faire bouillir. Verser le cocktail dans des verres à punch chauds et servir.

Ustensiles: passoire, 2 grands verres à punch épais

power

Punch

aux substances bio-actives pour les jours de stress

myrtilles-églantier

Porter l'eau à ébullition. Y faire infuser l'églantier pendant 10 min à couvert. Entre-temps, laver, trier les myrtilles et les sécher sur un torchon. Réserver quelques baies pour la décoration et mixer le reste au Blender avec le jus de groseilles. Mélanger l'infusion avec les jus de fruits et filtrer le tout à travers une passoire. Parfumer avec le sucre et la cannelle, puis chauffer la composition dans une casserole, sans faire bouillir. Verser le cocktail dans des verres à punch chauds et servir aussitôt avec des myrtilles et les bâtons de cannelle.

Pour 2 grands verres :

200 ml d'eau

2 c.c. d'infusion d'églantier

100 g de myrtilles

100 ml de jus de groseilles

2 c.c. de sucre

Cannelle en poudre

2 longs bâtons de cannelle

Ustensiles : Blender, passoire, 2 grands verres à punch épais

Variante : pour flatter davantage le palais, parfumez le punch avec deux clous de girofle grossièrement moulus et quatre grains de piment concassés. Servir chaud avec du sucre candi brun et de l'anis étoilé.

Le truc de la cuillère en argent

Vous éviterez l'éclatement du verre à punch en y plaçant d'abord une cuillère en argent. Verser ensuite le punch dans le verre, sur la cuillère. Cette dernière transmet rapidement la chaleur. Veillez cependant à ne pas verser de liquide bouillant. Même les verres les plus épais ne le supportent pas toujours.

power

Table des matières

Cocktails énergétiques

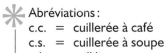

Abréviations :
c.c. = cuillerée à café
c.s. = cuillerée à soupe
ml = millilitre

Blender:
Mixer muni d'une petite hélice

1999 Edition originale en allemand © Gräfe und Unzer GmbH, Munich. Tous droits réservés. Reproduction, même partielle, et diffusion par film, radio ou télévision, sur microfilm, support de son et systèmes de traitement des données de tout type autorisée uniquement avec l'accord écrit de l'éditeur.
ISBN : 3-7742-1064-0

Version française
© 2001 Editions ADN Genève
6, route de Compois
1222 Vésenaz / Suisse
Tél. 022/722 06 46
Fax 022/722 06 49
E-mail dany.goldstein@axions.ch
ISBN 2-940307-03-2

Rédaction :
Dany Goldstein
Traduction :
Sophie Cazillac
Comité de lecture et corrections :
Jean-Pierre Raaflaub
Adaptation des recettes :
Le chef cuisinier Michel Rubin
Mise en pages intérieure :
Dany Goldstein
Graphiste :
Martine Musy
Fabrication :
Helmut Giersberg

Photos :
Food Photography Eising, Munich
Reproduction :
Repro Schmidt, Dornbirn
Impression :
Appl, Wemding
Reliure :
Sellier, Freising

Friedrich Bohlmann
Chercheur et conseiller en alimentation, il est depuis des années journaliste spécialisé pour de grands journaux allemands et expert en alimentation pour l'émission de télévision quotidienne « Leben und Wohnen ». Plusieurs guides portent son nom, et il a reçu pour son travail le prix journalistique de la Société allemande pour l'alimentation.

Susie M. et **Pete Eising**
Ils ont un studio de photos à Munich et à Kennebunkport, dans le Maine (USA). Ils ont étudié la photographie à Munich, où ils se sont spécialisés dans les photos de l'alimentation en 1991.

Réalisation photographique :
Martina Görlach
Conception :
Monika Schuster

Dagmar von Cramm

Les aliments beauté

...Beauté naturelle
...de la peau
...et des cheveux

Angelika Ilies

Se désintoxiquer sans peine

...Pour
...la vitalité
...et le bien-être

Marlisa Szwillus

Les recettes de la bonne humeur

...Le chocolat
...n'est pas seul
...à remonter le moral

Friedrich Bohlmann

Les cocktails énergétiques

...Pressés
...ou
...mixés

Une collection de livres de recettes
faciles à réaliser qui vous aideront
à développer votre capital vitalité,
votre rayonnement et votre beauté
grâce à des formules de diététique
moderne, ciblée et équilibrée.

Des aliments sélectionnés pour
leurs propriétés spécifiques.
Chaque produit influant sur
les fonctions biologiques essentielles,
associées à votre bien-être, à votre
dynamisme et à votre silhouette.

Alimentez votre beauté.

Avec la semaine d'attaque,
votre réussite est assurée.

Aller encore plus loin avec les Editions

LES ÉDITIONS ADN